CETTE MAISON
est HANTÉE

912011

CETTE MAISON EST HANTÉE

CETTE MAISON EST HANTÉE

Maureen Bayless

Illustrations de
Janet Wilson

Texte francais de
François Renaud

Illustration de la couverture
David Sourwine

BEACONSFIELD
Bibliothèque - Library
303 boul Beaconsfield,
Beaconsfield QC H9W 4A7

Éditions Scholastic

*Pour Schmoo, Yaki, Bean et
Noahstein.*

Catalogage avant publication de Bibliothèque et Archives Canada
Bayless, Maureen, 1959-
[Howard's house is haunted. Français]
Cette maison est hantée / Maureen Bayless ; illustrations de Janet
Wilson; texte français de François Renaud.

Publ. à l'origine sous le titre: La maison de Bernard est hantée.
Traduction de: This house is haunted, d'abord publ. sous le titre
Howard's house is haunted.
ISBN 978-1-4431-0492-0

I. Wilson, Janet, 1952- II. Renaud, François III. Titre. IV. Titre:
Howard's house is haunted. Français. V. Collection: Bayless,
Maureen, 1959- . Maison de Bernard est hantée.

PS8553.A85855H6814 2011   jC813'.54   C2011-902357-1

Édition publiée par les Éditions Scholastic, 604, rue King Ouest,
Toronto (Ontario) M5V 1E1 CANADA.

6 5 4 3 2   Imprimé au Canada 121   11 12 13 14 15

Table des matières

Chapitre 1

Bernard le froussard

Bernard est un froussard, et ce n'est un secret pour personne.

Bernard a peur des fantômes, des araignées, des bruits bizarres, des serpents visqueux, des durs à cuire, des sous-sols et de l'obscurité.

Il a peur d'un tas de choses; à vrai dire, il a peur d'à peu près tout.

Bernard étant un froussard, on peut imaginer ce qu'il ressent quand ses parents lui annoncent qu'ils viennent d'acheter une maison hantée.

— Nous avons enfin une maison bien à nous, mon chéri, lui confie sa mère un soir. Finis pour nous les appartements.

Bernard est en train de manger des pâtes aux épinards nappées d'une sauce au fromage, son mets favori. Le menton dans son assiette, il aspire les nouilles en faisant semblant d'être une tondeuse à gazon.

— Mmmmm, fait Bernard en coupant les pâtes vertes avec ses dents.

Les maisons ne l'intéressent pas.

— Je pense que tu vas bien aimer cette maison, Bernard, dit son père en lui versant un verre d'orangeade. Elle est très grande et vraiment très ancienne. Il y a des tourelles, des trappes et vingt-neuf chambres.

— Ah ouais? dit Bernard en baissant davantage le nez dans son assiette.

Il en est rendu aux petites nouilles courtes au fond.

— Tu la connais certainement. C'est la grande maison brune sur la rue des Noyers, celle dont la pelouse ressemble à un champ de mauvaises herbes.

— Pas celle-là! s'exclame Bernard. Pas la maison brune de la rue des Noyers! Pas celle avec la cheminée toute croche et la porte de la grille qui grince! Pas celle avec la haie très haute! Elle est hantée! Tout le monde le sait!

Le père de Bernard se met à rire.

— Oui, nous en avons entendu parler. C'est la raison pour laquelle nous l'avons eue à prix d'aubaine.

— Une aubaine! Je me fous des aubaines! s'écrie Bernard. Il y a un fantôme dans cette maison! Je ne veux pas vivre avec un fantôme!

— Il me semblait que tu ne croyais pas aux fantômes, murmure sa mère en feuilletant un exemplaire du magazine pour lequel elle travaille.

— Aux sorcières, grogne Bernard. Je ne crois pas aux sorcières.

Il ne croit plus aux épouvantables histoires de sorcières depuis que madame Labonté, la voisine d'à côté, lui a avoué qu'elle était une sorcière. Madame Labonté ne porte pas de chapeau pointu, ne circule pas à cheval sur un manche à balai et n'a pas de chat noir. De plus, elle fait une délicieuse soupe aux brisures de chocolat. Maintenant, Bernard ne croit qu'aux gentilles sorcières.

Sa mère s'éclaircit la voix.

— Ce qu'il y a de bien avec cette maison, c'est qu'elle est assez grande pour que grand-mère puisse venir habiter avec nous.

Grand-maman Leduc se fait vieille. Si elle ne vient pas vivre avec la famille de Bernard, elle sera forcée d'aller dans un foyer pour personnes âgées.

Bernard réfléchit à tout ça. Il ne veut pas que sa grand-mère se retrouve dans un foyer pour personnes âgées, mais il ne veut pas vivre avec un fantôme non plus.

— Vous pourriez peut-être m'envoyer au pensionnat, suggère-t-il.

— Pas question, dit son père.

— Je pourrais peut-être entrer dans l'armée?

— Bien sûr, répond son père. Dans une dizaine d'années.

Bernard regarde les dernières pâtes refroidies au fond de son assiette. Elles ont l'air aussi misérables que lui.

— Vous n'auriez pas l'adresse d'une bonne prison qui accepte les enfants? murmure-t-il.

— Bernard! dit sa mère d'un ton sévère.

— Oui?

— Cesse de grogner et fais la vaisselle.

— Nous ne survivrons pas une seule nuit dans cette maison hantée! lance Bernard furieux en sortant de la cuisine. Je ne vais pas gaspiller le peu de temps qu'il me reste à vivre à laver la vaisselle.

— Écoute, Bernard, dit son père en souriant. Si nous devons mourir de peur, nous serons des fantômes nous aussi et nous aurons besoin de vaisselle propre pour prendre nos dîners entre fantômes.

Bernard trouve que son père n'est pas très drôle. Tout en lavant une à une les assiettes de la pile de vaisselle, il essaie de penser à un moyen d'empêcher ses parents d'emménager dans cette maison.

À moins de trouver un moyen pour obliger le fantôme à déménager…

De toute manière, il y a au moins une chose dont Bernard est absolument certain : il est hors de question qu'il dorme dans la maison d'un fantôme, même si cette maison a des tourelles, des trappes et vingt-neuf chambres.

En particulier si cette maison a vingt-neuf chambres!

Énormément de bruits bizarres peuvent parvenir de vingt-neuf chambres.

Chapitre 2

Jour de déménagement

Le lundi, le camion de déménagement vient prendre tout le mobilier des Leduc pour l'emporter dans leur nouvelle maison. Dans leur nouvelle maison hantée.

La mère de Bernard lui dit qu'il peut manquer l'école pour aider au déménagement.

— Pas question, dit Bernard. J'ai un problème à régler, et vite.

Et il file à l'école. Pour plus de sécurité, il emporte tous ses trésors avec lui : Coco-le-singe avec lequel il dort depuis qu'il est bébé, ses affiches, ses ciseaux à bois et son canif, de

même que les objets qu'il a sculptés, sa lampe de poche Tintin et ses dominos fluorescents.

Pas question que le fantôme lui prenne ces objets précieux.

Rendu à l'école, Bernard fait le tour du terrain de jeu jusqu'à ce qu'il trouve deux de ses amis. Ils sont en train de sauter dans un tas de feuilles mortes et s'amusent à donner des coups de pied dedans, éparpillant les feuilles sur la pelouse.

En apercevant Bernard et son sac, ils s'approchent de lui.

— Est-ce que c'est pour montrer en classe? demande Rita Laverdure.

— C'est pour la banque de jouets? dit Robert Wong.

Bernard leur raconte ses difficultés.

— Allons donc! rigole Robert. Tes parents n'achèteraient jamais une maison hantée. Tu t'en fais pour rien, comme d'habitude.

— Non, je vous jure! dit Bernard. C'est la maison brune sur la rue des Noyers.

Ses amis cessent de rire.

— Je connais cette maison, dit Rita. Parfois, quand je reviens à la maison après mes cours de clarinette, je vois des lumières qui clignotent dans les fenêtres du haut. Même si personne n'habite là!

— Je ne voudrais pas être à ta place, dit Robert.

Sur ces entrefaites, la cloche sonne.

Bernard se rend en classe en serrant bien fort Coco-le-singe sur son cœur. Il a les cheveux hérissés sur la nuque et peut presque sentir le regard inquiétant du fantôme surveiller ses moindres faits et gestes.

Surveillant et attendant.

En classe, Bernard peut à peine se concentrer sur les problèmes d'arithmétique que mademoiselle Billette écrit au tableau. Il se demande si le fantôme n'est pas, à l'instant même, en train d'essayer son lit.

Une boulette de papier mouillé lui frappe la tête et atterrit sur son pupitre.

Bernard la déplie.

C'est un dessin de lui tenant Coco-le-singe.

En dessous, au crayon noir, on a écrit :

« Qu'est-ce qui se passe, Bernard le frous-sard? Tellement poule mouillée qu'il faut que tu amènes ta poupée à l'école? »

Sur l'autre face du billet, du côté humide, il y a une autre note. « Bernard le froussard est tellement poule mouillée qu'il demande la permission à sa mère avant de pisser dans sa culotte. »

On entend ricaner de l'autre côté de la classe.

Bernard jette un coup d'œil de l'autre côté, vers la grosse face criblée de taches de rousseur de Bingo Broussard, le dur de la classe.

Bingo montre d'abord Coco-le-singe du doigt, puis il fait semblant de prendre un singe sur ses propres genoux, le lève à la hauteur de son visage et lui donne plusieurs gros baisers sonores.

Mademoiselle Binette ne se rend compte de rien, sa craie grince sur le tableau.

Cependant, les autres élèves ont tout vu et quelques-uns se mettent à ricaner. Personne ne connaît l'existence du fantôme de Bernard.

Même s'ils le savaient, se dit Bernard, *ils s'en ficheraient.*

Probablement qu'aucun d'eux n'a peur des fantômes. Il est le seul à avoir peur. Tout le monde sait que Bernard est un froussard.

À ma mort, se dit Bernard, *on va écrire sur ma tombe : Ci-gît Bernard le froussard. Il a vécu, il a eu peur et il en est mort.*

Bernard renifle. Il a envie de pleurer, mais il fait plutôt semblant d'avoir le rhume.

C'est à ce moment précis qu'il a un éclair de génie.

Bernard jette un coup d'œil à Bingo.

Bingo se balance de gauche à droite en faisant semblant de bercer un bébé.

— Julien! dit mademoiselle Binette d'un ton sec, en appelant Bingo par son vrai prénom. Dans cinq minutes, je vais ramasser vos devoirs. J'espère que ton chien n'a pas mangé le tien.

Bingo tire la langue dans le dos de mademoiselle Binette.

Bingo, se dit Bernard, *tu es un sale type.*

Toutefois, si quelqu'un peut forcer un fantôme à fuir d'une maison, c'est bien un sale type... et Bingo est précisément le candidat tout désigné.

Chapitre 3

La trêve

Le plan de Bernard pose cependant un problème. Le fantôme aura peut-être peur de Bingo, mais Bernard aussi.

Toute la matinée, Bernard ne peut détacher ses pensées de Bingo. Il pense à quel point il est costaud et combien il est mesquin. Il se rappelle que personne, même chez les plus grands, ne parle à Bingo à moins d'y être obligé.

Cependant, durant toute la matinée, Bernard pense également au fantôme, au fantôme qui l'attend à la maison.

À la récréation, Bernard rassemble le peu de

courage qu'il a et, prudemment, s'approche de Bingo.

— Je te propose une trêve, dit Bernard d'une voix faible.

Bingo a l'air surpris. Il a également l'air de se demander s'il va ou non frapper Bernard.

— Récite la formule magique, grogne-t-il.

Bernard s'était entraîné. Il n'avait jamais eu à dire la formule puisqu'il n'avait jamais eu à parler à Bingo avant aujourd'hui.

— Trêve, trêve, faisons la trêve. Je me tiens sur la tête et j'embrasse mademoiselle Binette, dit Bernard, la gorge serrée.

Bingo relève un sourcil.

— Maintenant, lèche le sable, ordonne-t-il.

Bernard repense à quel point il a besoin de l'aide de Bingo. Il se rend jusqu'aux balançoires, se met à genoux et plante le bout de sa langue dans le sable.

Il revient vers Bingo et lui montre le bout de sa langue.

— Parfait! Vas-y, dit Bingo. Qu'est-ce que tu veux?

Bernard essaie de parler, mais, avec la langue à moitié sortie de la bouche, il a de la difficulté à articuler.

— *Quèche que che fais aghek le shagle?* demande Bernard qui n'est pas certain d'avoir la permission d'essuyer sa langue.

— Je n'en sais rien, répond Bingo. Tu es le premier à faire ça.

Bernard essuie sa langue sur la manche de son chandail de laine et raconte à Bingo l'histoire de la maison de la rue des Noyers.

Bingo le regarde longuement.

— Je connais cette maison. J'ai déjà frappé à la porte un soir d'Halloween. C'est une voix de fantôme qui m'a répondu « Vaa-t-eeen d'iiiciii, Biingooo! »

— Le fantôme connaissait ton nom! C'est vraiment un fantôme très intelligent.

— Ouais. J'avais déjà brisé un carreau là-bas. Probablement qu'il se rappelait de moi. Chose sûre, je ne voudrais pas être à ta place.

Bernard regrette d'avoir laissé Coco-le-singe dans la classe. En ce moment, il en aurait vraiment besoin.

— J'ai besoin de ton aide, Bingo. Il faut que tu me débarrasses de ce fantôme.

Bingo éclate de rire, d'un gros rire gras et grossier.

— T'aider! Pourquoi est-ce que je devrais aider un poltron de ton espèce? Qu'est-ce que ça va me donner?

Bonne question, se dit Bernard. *Qu'est-ce que Bingo a à gagner?*

— Je vais te prêter ma lampe de poche Tintin.

Bingo s'esclaffe.

— Mes dominos fluorescents?

Bingo se met à rire si fort qu'il en tombe presque sur le dos. Dans la cour d'école, tout le monde les regarde.

— Alors, qu'est-ce que tu veux? gémit Bernard.

Il ne peut se résigner à lui prêter Coco-le-singe. De toute manière, il a l'impression que ce ne serait pas une proposition très intéressante.

Bingo a le hoquet et se tient le ventre. Il

hausse les épaules et se détourne, prêt à partir.

Puis il s'arrête et se retourne vers Bernard.

— Il y a peut-être quelque chose, dit-il, sournoisement.

— Quoi? répond vivement Bernard.

— Mes devoirs. Promets de faire mes devoirs pour moi et je vais t'aider, dit Bingo en regardant Bernard du coin de l'œil.

— C'est interdit...

Bingo hausse les épaules et se détourne de nouveau.

Bernard le regarde s'éloigner. Il est rendu aux balançoires, à la glissoire, puis aux trapèzes.

— D'accord! crie Bernard. Je vais le faire.

Bingo revient, un sourire au coin des lèvres.

— De toute manière, dit Bernard, ce n'est pas beaucoup, juste un compte rendu.

Bingo le regarde d'un air moqueur.

— Je ne parlais pas seulement des devoirs d'aujourd'hui. Je voulais dire pour la vie... et tu as accepté!

Bernard ravale sa salive.

— D'accord.

Après tout, qu'est-ce que ça peut faire s'il se fait renvoyer de l'école pour avoir fait les devoirs de Bingo? Mieux vaut se faire expulser que d'être mort. Et si Bingo ne réussit pas à effrayer le fantôme...

Bingo a l'air satisfait. Il ramasse un caillou et le frotte entre ses doigts, pensif. Après un moment, il le lance en direction des balançoires et frappe d'aplomb la barre horizontale.

— Voici mon plan, dit Bingo au moment où la cloche sonne. Les gens ont peur des serpents, pas vrai? Et les fantômes ne sont rien d'autre que des morts, non? Alors les fantômes ont probablement peur des serpents eux aussi!

— Ah oui? dit Bernard, d'un ton qui manque d'assurance.

— Alors, je vais te prêter Ficelle, mon serpent domestique.

Le cœur de Bernard fait un grand bond dans sa poitrine. Cette idée a une chance de fonctionner!

Mais il y a quelque chose qui cloche.

— J'ai peur des serpents, chuchote Bernard.

C'est toi qui vas l'amener.

Bingo fait un bruit grossier, puis se penche vers Bernard.

— D'accord, je vais l'apporter, mais tu as intérêt à faire un bon travail avec mes devoirs, tu as compris? Je ne veux plus avoir Binette sur le dos.

Bernard se hâte de retourner en classe et tasse Coco-le-singe dans son pupitre.

Il se sent beaucoup mieux.

Cela vaut la peine d'avoir un peu de sable et quelques brins de laine plein la bouche en échange de l'aide de Bingo. Cela vaut même la peine de remplir deux cahiers de devoirs pour le reste de ses jours.

Du moins, c'est ce qu'il espère.

Chapitre 4

La maison de la rue des Noyers

Cet après-midi-là, Bernard et Bingo arrivent à la maison de la rue des Noyers au moment où le camion des déménageurs repart.

Penchée au-dessus de la clôture, sa mère discute avec une vieille femme qui porte des bottillons de caoutchouc et qui s'appuie sur une canne.

— Bonjour Bernard, bonjour Julien. Je suis en train de faire la connaissance de notre nouvelle voisine, madame Lanoix.

Madame Lanoix examine les deux garçons du coin de l'œil.

— Gardez vos jouets, vos chiens, vos bicyclettes et vos pieds hors de ma cour, dit-elle.

Et elle cligne de l'œil... à moins que ce ne soit un simple battement de paupières.

— Je me demande si elle aime les serpents, dit Bingo en grimpant les vieilles marches arrondies.

Son serpent domestique, Ficelle, est dans son sac à dos.

Ses devoirs, eux, sont dans le sac à dos de Bernard.

En passant sous le porche, Bernard entend madame Lanoix dire à sa mère :

— Vous êtes bien brave, Charlotte. Je ne vivrais pas dans cette vieille maison même pour un million de dollars. On ne sait jamais ce qui peut arriver.

Quand Bingo pousse la grande porte à double battant, les vieilles charnières grincent.

À l'intérieur, les deux garçons débouchent dans un grand hall où il y a un escalier auquel il manque une marche. Des lanières de papier peint se détachent du mur. Un lustre, enveloppé dans un sac de plastique, oscille mollement au-dessus de leurs têtes.

— Oh! s'exclame Bingo. C'est assez grand pour être un hôtel pour fantômes.

Sur ces entrefaites, le père de Bernard arrive dans le hall avec un seau et une serpillière. Il a un mouchoir noué sur la tête.

— Vous feriez mieux de porter un chapeau, les gars, dit-il en humectant le plancher. Il y a des toiles d'araignées partout.

— Beurk! Dégoûtant! s'exclame Bernard.

Il déteste les araignées. Il en a peur.

Son père fait faire un petit bond à la serpillière et la replonge dans le seau.

— En un rien de temps, cette maison va reluire de propreté. Tout ce qu'il faut, c'est un peu d'huile de coude. Tu vas voir, dit-il, dans deux semaines, ta grand-mère va pouvoir emménager.

Il annonce aussi à Bernard que sa chambre est à l'étage, dans la tourelle avant.

Bernard se souvient des éclairs fantomatiques que Rita avait remarqués.

— Et les fenêtres des chambres du haut? demande Bernard.

— Je pense que ce sont les fenêtres du grenier, répond son père en grattant son mouchoir. Le problème, c'est que nous ne savons pas comment nous y rendre. Il doit bien y avoir un accès quelque part, mais nous ne l'avons pas encore trouvé. À moins que ces fenêtres-là ne soient que décoratives.

Bernard a un frisson. *Elles ne sont pas décoratives du tout*, se dit-il, *elles sont là pour les fantômes*. Dire que sa chambre est juste au-dessous de celle du fantôme.

Dans l'escalier, au niveau de la marche manquante, son père a placé un écriteau où on peut lire : *Attention à la marche!* Les garçons l'enjambent. Bernard espère que son père ne tardera pas à la réparer. Ce trou lui fait peur.

Au sommet de la tourelle, ils trouvent la chambre de Bernard. Son lit et sa commode sont déjà en place.

Sous la fenêtre, il y a une tache d'eau sur le plancher de bois. Un des carreaux de la fenêtre vient d'être remplacé par un carton.

— En plein dans le mille! s'exclame fièrement Bingo avec un sourire. Il ne resterait plus un carreau ici, si ce fantôme...

— En parlant de fantôme, dit Bernard en toussotant pour s'éclaircir la voix.

Il lance son sac à dos sur le lit. Bingo dépose le sien sur l'oreiller en veillant au confort de Ficelle. Ensuite, ils se mettent à explorer la maison.

Au fond du placard de la chambre de Bernard, ils découvrent une porte qui mène à une autre chambre. Dans cette pièce, il y a un autre placard par lequel on a accès à une nouvelle pièce. En empruntant les placards, ils peuvent ainsi circuler dans les six chambres et la salle de bain du deuxième étage, sans même avoir à emprunter le corridor!

Ils découvrent également deux trappes, mais aucune ne mène au grenier. L'une est un vide-linge; celle du sous-sol est une chute à charbon.

— Pas de chance, dit Bingo. Il n'y a rien d'intéressant là-dedans.

D'après le mobilier, Bernard devine que sa grand-mère va occuper la chambre voisine de la sienne. De l'autre côté, c'est le bureau où sa mère va travailler aux articles de son magazine et, au-delà du bureau, c'est la chambre de ses parents.

— Il n'y aura personne près de moi jusqu'à l'arrivée de grand-mère. Et ce ne sera pas avant deux semaines! Je ne survivrai jamais jusque-là.

Bingo n'a pas l'air de s'inquiéter outre mesure.

— Mettons-nous au travail, dit-il. Nous allons d'abord emmener Ficelle dans chacune des chambres. Comme ça, nous sommes certains que le fantôme va le voir. Ensuite, nous allons essayer de trouver l'endroit où le fantôme s'est installé et nous allons laisser le serpent là, dans une boîte. Quelques jours devraient suffire.

Bingo détache la courroie du rabat de son sac à dos et plonge la main à l'intérieur. Il fronce les sourcils et tâte le fond du sac. Ficelle a disparu. Un rabat sert à protéger de la pluie, mais, de toute évidence, ce n'est pas très efficace pour empêcher un serpent de sortir du sac!

— Oh non! hurle Bernard en sautant sur sa commode.

S'il y a quelque chose qui lui fait aussi peur que les fantômes, c'est bien les serpents.

Bingo regarde partout. Pas de Ficelle.

— Il peut être n'importe où, dit-il. Quand il se recroqueville, il devient vraiment tout petit.

On dirait que Bingo va pleurer.

C'est étrange, se dit Bernard. *Pourtant les durs ne pleurent pas.*

— Aussitôt qu'il se montre, je te téléphone, dit Bernard en essayant d'avoir l'air le plus rassurant possible. Il ne peut pas être bien loin. Mais, Bingo...

— Quoi?

— Est-ce qu'il va me manger?

— Sois réaliste! grogne Bingo. Je ne vois pas pourquoi un serpent aurait envie de bouffer un pauvre gars comme toi.

Bernard ne se sent pas plus rassuré.

— Calme-toi, dit Bingo. Garde ton sang-froid. Ficelle n'aura pas faim avant une bonne semaine... et s'il a le moindre goût, il choisira plutôt de manger un rat.

— Ou un fantôme, dit Bernard tout réjoui. Il va peut-être croire qu'un fantôme est un vrai délice.

Bernard espère que Ficelle s'est faufilé dans le grenier. En ce moment, le fantôme est peut-être en train de faire ses valises.

Il ne croit pas nécessaire de mettre sa mère au courant de l'existence de Ficelle. Il se dit qu'elle doit avoir assez de soucis pour le moment.

Chapitre 5

Crac, crac... ploc!

Ce soir-là, Bernard a peur de se mettre au lit.

D'abord, il doit faire ses devoirs en double.

Il les fait très lentement. Il va même jusqu'à dactylographier celui de Bingo. Comme il ne sait pas taper à la machine, il y met un temps fou.

— Ça, c'est bien mon garçon, dit fièrement son père en passant avec son escabeau.

Bernard demande à ses parents s'il peut dormir avec eux, mais ils lui répondent qu'ils doivent poser le papier peint et qu'ils vont se coucher très tard.

Il n'a pas envie de rester seul à les attendre dans leur chambre. Elle est encore plus grande et craque bien plus que la sienne.

Il décide de se recroqueviller dans son lit avec Coco-le-singe, en souhaitant que Ficelle soit dans un coin éloigné de la maison, recroquevillé et endormi, lui aussi.

Il entend son père siffloter et sa mère chantonner à l'étage au-dessous. Bientôt, même s'il croit qu'il n'y arrivera jamais, il s'endort rapidement.

Au milieu de la nuit, il se réveille.

Il croit entendre quelque chose.

Crac, crac, ploc, crac, crac.

Il entend bel et bien du bruit.

Il sort de son lit et court jusqu'à la chambre de ses parents, convaincu à chaque pas que le fantôme va lui mettre la main au collet.

— M'man, p'pa!

— M-mm? répond sa mère.

— Le fantôme! J'ai entendu le fantôme! dit Bernard en grimpant dans le lit de ses parents et en se faisant une place entre eux.

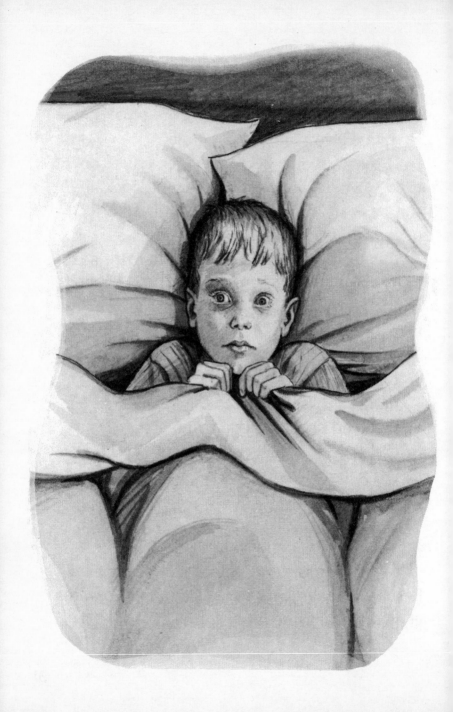

— Bernard! Sors de là! Nous venons juste de nous endormir! dit son père d'un ton maussade.

— Mais j'ai entendu le fantôme! Ça craquait!

— Bernard, les fantômes n'existent pas. Tu ne pourrais pas te persuader que c'est une sorcière plutôt? dit sa mère en bâillant, sans ouvrir les yeux.

— Au moins, Bernard, tiens-toi tranquille. Nous ne pourrons pas dormir si tu continues à gigoter comme ça, marmonne son père.

C'est exactement ce que fait Bernard. Il reste étendu, sans bouger, entre ses parents. Il se sent beaucoup moins effrayé. Il regrette toutefois de ne pas avoir emmené Coco-le-singe avec lui.

Au matin, il y a des traces du passage du fantôme. La dernière pointe de pizza de la veille a disparu du réfrigérateur.

Mangée.

La dernière bouteille d'orangeade traîne sur le comptoir.

Bue jusqu'à la dernière goutte.

Et le bol de soupe aux brisures de chocolat, un cadeau de déménagement de madame

Labonté, est vide également.

— Bernard! dit sa mère, les mains sur les hanches.

— Je te dis qu'il y a un fantôme.

— C'est toi le fantôme.

— Pas étonnant que tu fasses des cauchemars, ajoute son père en hochant la tête.

— Pas de dessert aujourd'hui, conclut sa mère d'un ton sévère.

Bernard file à sa chambre.

— Hé! le fantôme! crie-t-il en s'adressant au plafond. Rapporte ma soupe aux brisures de chocolat!

À l'école, il demande l'avis de Bingo.

— Ça doit être le fantôme, convient Bingo. Ficelle n'aime pas l'orangeade.

— Qu'est-ce que je vais faire?

— Achète-toi une tablette de chocolat dans le distributeur.

— Non. Je veux dire à propos du fantôme!

— Oh… dit Bingo en s'amusant à faire tourner son sac à dos pendant un moment. Qu'est-ce que tu dis de ça? Les fantômes sortent la nuit, pas vrai?

— Exact.

Ça doit vouloir dire qu'ils n'aiment pas la lumière, pas vrai?

— Exact... et puis?

— Eh bien, pourquoi tu ne laisserais pas toutes les lumières allumées? Toute la nuit. Avec toutes ces lumières et Ficelle dans les parages, ça ne prendra pas longtemps à ton fantôme pour se chercher un autre hôtel.

Bernard se dit que c'est une idée géniale.

Bien sûr, ses parents ne lui permettent pas de laisser toutes les lumières allumées.

— Es-tu fou? Tu sais combien coûte l'électricité? demande sa mère en levant les bras comme s'il était en train de devenir cinglé.

Ce soir-là, après avoir fait ses devoirs en double, il s'étend dans son lit et attend que ses parents soient endormis.

Ensuite, accompagné de Coco-le-singe, il fait le tour de la maison sur le bout des orteils et allume toutes les lumières, y compris celles de l'entrée avant et arrière. Même celle qui éclaire la machine à écrire de sa mère.

Par la même occasion, il en profite pour chercher Ficelle. Bingo est plutôt inquiet à propos du serpent. Bernard aussi, mais pas pour les mêmes raisons.

Pas de Ficelle.

Quand il s'éveille, toutes les lumières sont éteintes.

Le mercredi soir, le jeudi soir et le vendredi soir, il répète le même manège.

Et chaque matin, les lumières sont éteintes. Le samedi matin, il découvre un message épinglé sur son sac à dos :

L'électricité coûte cher. Es-tu devenu complètement fou?

Signé : le fantôme.

Chapitre 6

Attrape-moi ce fantôme!

Toute la matinée du samedi, Bernard a envie d'aller chez Bingo lui montrer le message.

Mais durant toute la matinée du samedi, il doit arracher les mauvaises herbes dans le parterre, devant la maison.

Il ne peut même pas montrer le message à ses parents. Ils vont penser qu'il l'a écrit lui-même. En plus, il lui faudrait expliquer pourquoi il a allumé toutes les lumières.

Parfois, les parents sont plus embêtants qu'autre chose.

Madame Lanoix sort la tête par une de ses fenêtres.

— Garde ces mauvaises herbes loin de mon parterre! Elles sont pires qu'une maladie contagieuse.

Ouais! Décidément, ses parents ont touché le gros lot comme maison! Parterre formidable. Fantôme formidable! Voisine formidable également.

Sur ces entrefaites, Bingo arrive sur sa vieille bicyclette.

— As-tu réussi à retrouver mon serpent? demande-t-il plein d'espoir.

Bernard répond par un hochement de tête.

— Mais regarde ça, dit-il en montrant le message à Bingo.

— Ça alors! s'exclame Bingo en s'assoyant.

Bingo a ses bons côtés, se dit Bernard. *C'est peut-être un dur, mais au moins il me croit, lui.*

— C'est une déclaration de guerre, dit Bingo.

— C'est la guerre, acquiesce Bernard.

Pendant un moment, ils arrachent les mauvaises herbes ensemble tout en réfléchissant.

— Qu'est-ce que nous savons de ce fantôme?
demande Bingo.

Bernard réfléchit un moment avant de répondre :

— Nous savons qu'il aime la pizza, l'orangeade et la soupe aux brisures de chocolat. Il grince, il écrit et il sait éteindre les lumières.

— Et je pense qu'il a attrapé Ficelle. Alors, il n'a probablement pas peur des serpents, ajoute Bingo.

Il mange probablement les serpents, se dit Bernard. Mais il garde sa réflexion pour lui.

Pendant un moment, ils ressassent toutes ces informations.

— Il doit bien y avoir moyen d'utiliser ce que nous savons à son sujet pour attraper ce fantôme, dit Bingo. Je veux récupérer mon serpent.

— Hier, j'ai placé un message sur le frigo, mais ma mère l'a arraché.

Sur le message, on pouvait lire « Défandu o fantômes ». Sa mère l'avait obligé à laver les traces de ruban gommé sur le réfrigérateur.

— Il doit bien y avoir un moyen. Un truc sûr, à toute épreuve.

— J'ai peut-être une idée. Raconte-moi la blague du ver solitaire que tu as déjà racontée en classe.

— Pourquoi?

— Raconte.

— Je ne suis pas sûr de m'en rappeler, dit Bingo en se grattant la tête. Mais c'était quelque chose du genre :

« C'est un type qui ne se sent pas bien et qui va voir le médecin. Il mange énormément, mais il maigrit de plus en plus.

« Le médecin lui dit qu'il a le ver solitaire. C'est le ver solitaire qui mange toute sa nourriture.

« Le médecin lui prescrit de manger un biscuit au chocolat et une banane toutes les trois heures et de revenir le voir dans une semaine.

« Le type ne comprend pas très bien pourquoi, mais il fait exactement ce que le médecin lui a dit. Une semaine plus tard, il revient au cabinet.

« Le médecin dit à son patient de manger le biscuit, comme d'habitude, mais de ne pas manger la banane.

« Le type s'exécute et ils attendent quelques minutes.

« Soudain, le ver solitaire sort la tête en hurlant "Hé, où est ma banane?" et le médecin en profite pour lui donner un coup sur la tête. »

— C'est vraiment grossier, grogne Bernard en hochant la tête.

— Ouais, je suppose. Mais en quoi ça peut nous aider? Tu n'as pas le ver solitaire.

— Non, mais j'ai un fantôme. Un fantôme qui aime la soupe aux brisures de chocolat et l'orangeade.

— Et puis?

— Et puis... dit Bernard avec un sourire en coin, en se penchant prudemment vers Bingo pour ne pas que le fantôme entende. Et puis, suppose que, chaque soir, je laisse sur le comptoir un bol de soupe aux brisures de chocolat et une bouteille d'orangeade. Puis, un beau soir, je laisse seulement le bol de soupe aux brisures de chocolat...

— Bada-bang, on l'attrape! crie Bingo. Et s'il ne me rend pas Ficelle, il va le regretter!

— Exact, répond Bernard.

Il ne se pose pas trop de questions sur la deuxième phase de son plan, celle où il faudra attraper le fantôme. Il compte sur Bingo pour s'en charger.

Chapitre 7

Le piège

Aussitôt que les mauvaises herbes sont enlevées, Bernard file à bicyclette chez madame Labonté pour lui demander sa recette de soupe aux brisures de chocolat.

— C'est facile, lui dit-elle quand Bernard lui a expliqué ce qu'il veut faire. À part les ingrédients secrets que je vais te remettre, tout ce dont tu vas avoir besoin, ce sont des brisures de chocolat et une cuisinière pour faire cuire la soupe.

— Est-ce que je peux utiliser un four à micro-ondes? demande Bernard qui n'a pas encore la permission de se servir de la cuisinière électrique.

— Je crois bien, répond madame Labonté en souriant. Mais je n'ai jamais entendu parler d'une maison hantée équipée d'un four à micro-ondes! Je ne savais pas que les fantômes appréciaient ce genre d'outils.

Elle remet à Bernard une fiole d'ingrédients secrets et, sur place, lui fait faire une chaudronnée de soupe aux brisures de chocolat, question de l'entraîner.

— Ça sent la menthe, dit Bernard, en humant le contenu de la fiole.

— C'est possible, dit madame Labonté avec un pétillement dans les yeux, à moins que ce ne soit le fumet du bolet satan cueilli à minuit.

Bernard jette un long regard à madame Labonté. Il oublie parfois qu'il a affaire à une sorcière.

— Vous êtes certaine que ce n'est pas de la queue de lézard, des pattes d'araignées ou autre chose du genre? demande-t-il.

— Absolument pas, l'assure madame Labonté.

Je suis une sorcière strictement végétarienne.

Bernard est anxieux de mettre son plan à exécution.

— Je vous remercie beaucoup! dit-il.

Il enfourche ensuite sa bicyclette et pédale jusqu'à la maison.

Ce soir-là, Bernard travaille très tard. Il découpe des photos du Guatemala dans des brochures de tourisme. C'est pour le travail de recherche de Bingo.

— Il me semblait que tu avais choisi l'Irlande, mon chéri, lui dit sa mère en venant l'embrasser au moment de se mettre au lit.

Quand ses parents sont couchés, Bernard descend à la cuisine sur la pointe des pieds.

Il place un bol de soupe aux brisures de chocolat et une cuillère sur la table. À côté de la cuillère, il met une bouteille d'orangeade et, appuyée sur la bouteille, il laisse une note bien en vue :

Fantôme,
Ceci est pour vous.

Il avait d'abord écrit « Cher fantôme », mais

il raye le mot « Cher », en se disant que cela risque d'éveiller les soupçons du fantôme.

Il laisse une seule lumière allumée, celle de la cuisine.

Au milieu de la nuit, il entend à nouveau des bruits.

Crac, crac, ploc, crac crac.

Parfait, se dit-il, en se serrant contre Coco-le-singe, *le fantôme mord à l'hameçon.*

Ensuite, il entend un nouveau bruit.

La chasse d'eau de la toilette. L'eau qui coule d'un robinet.

Le fantôme est dans la salle de bain!

Bernard saute de son lit et se précipite dans la chambre de ses parents.

Cette fois, il n'oublie pas Coco-le-singe.

— M'man, p'pa, braille-t-il en sautant dans leur lit.

Ils sont couchés tous les deux.

— Bon sang! crie son père. Qu'est-ce qui t'arrive, Bernard?

— Le fantôme! hurle Bernard. Il est dans la salle de bain!

Sa mère s'assoit dans le lit et pose la main sur le front de Bernard.

— Charles, dit-elle à son mari, selon toi, est-ce qu'il fait de la fièvre?

— Il parle comme quelqu'un qui délire, marmonne son père en se cachant la tête sous un oreiller.

— D'accord, chéri, tu peux dormir avec nous cette nuit, dit sa mère en tâtant de nouveau son front.

— Mais c'est la dernière fois! dit son père d'une voix étouffée.

Le lendemain matin, Bernard profite du moment où ses parents sont en train de s'habiller pour aller jeter un coup d'œil dans la cuisine.

Le bol de soupe aux brisures de chocolat est vide.

Même chose pour la bouteille d'orangeade.

— Parfait! s'écrie Bernard, mon plan fonctionne.

Il s'empresse de laver la vaisselle avant que ses parents ne la voient.

Quand il soulève le bol de soupe vide, il

découvre une note sur laquelle il lit :

>*Bernard,*
>
>*Fameuse, ta soupe. La prochaine fois, si possible, aie la bonté de laisser du jus d'ananas.*
>
>*Merci.*
>
>*Le fantôme*

Chapitre 8

Un gentil fantôme qui a soif

Le plan a l'air de fonctionner.

Au cours de la semaine suivante, chaque nuit, le fantôme mange son bol de soupe aux brisures de chocolat et boit son jus d'ananas.

Le fantôme semble également devenir de plus en plus bruyant. Parfois, dans la nuit, Bernard entend un tap, tap, tap, comme si sa mère tapait ses articles de magazine à la machine. Cependant, chaque fois que cela se produit, Bernard sait que sa mère est couchée. De plus, aussitôt que le cliquetis s'arrête, le plancher se met à craquer.

Même ses parents en font la remarque.

— T'es-tu relevé la nuit dernière? demande son père.

Bernard fait signe que non.

— Je crois qu'il est somnambule, Charles, dit sa mère. Nous devrions peut-être le faire examiner par un médecin.

— Il a trop de devoirs. Regarde les cernes sous ses yeux. Ce n'est pas normal qu'un enfant de son âge ait autant de devoirs à faire, dit son père.

Le jeudi, le père de Bernard remplace la marche brisée et la repeint. Il remplace la pancarte « Attention à la marche! » par une autre sur laquelle on lit « Attention, peinture fraîche! »

Le fantôme va peut-être laisser des traces, se dit Bernard.

Ce soir-là, le fantôme ne fait pas *crac, crac, ploc, crac crac. Il fait plutôt crac, crac, ploc, shiik, shiik,* mais ne laisse aucune trace de pas.

Le vendredi, Bernard demande à sa mère s'il peut inviter des amis à coucher pour la fin de semaine.

— Mais samedi, c'est l'Halloween, proteste sa mère. Tu vas être dehors à faire ta tournée.

— S'il te plaît, m'man. Ça va être amusant. Nous aurons une soirée pyjama costumée. Mes amis pourront tous dormir dans ma chambre.

Finalement, sa mère consent.

Bingo accepte l'invitation.

— Je vais peut-être réussir à récupérer Ficelle.

À chaque fois qu'il parle de son serpent, il a l'air triste.

Cependant, Bernard a plus de difficultés à convaincre Robert et Rita.

— Tu veux que, moi, je dorme dans la même chambre que Bingo Broussard? demande Robert, tout surpris. Si j'avais le choix, je ne m'assoirais même pas dans la même pièce que lui. C'est une brute.

— Il n'est pas si mal, dit Bernard. À vrai dire, il est plutôt gentil.

Il explique comment il a réussi à négocier une trêve. Cependant, il ne dit rien à propos des devoirs. C'est un secret.

— Je ne vais certainement pas lécher du sable, dit Rita.

— Moi non plus, dit Robert en hochant la tête comme si Bernard était devenu fou.

Bernard se rend compte qu'il va devoir dévoiler à ses amis le plan qu'il a mis au point pour capturer le fantôme. Il a besoin de leur aide. Il ne sait pas quel genre de résistance va offrir le fantôme et il n'est pas certain, quand sera venu le temps de le capturer, que Bingo et lui puissent y arriver tout seuls.

— ... alors, vous voyez bien que j'ai besoin de vous, conclut Bernard.

— Bingo t'a prêté son serpent? demande Robert, surpris.

— Et il ne t'a pas étripé quand tu l'as perdu? s'émerveille Rita.

Les deux amis réfléchissent un petit moment et finissent par accepter l'invitation.

— Ça pourrait bien être ma seule chance de faire la connaissance d'un fantôme qui écrit des messages, dit Rita.

— Formidable! s'exclame Bernard. Apportez vos lampes de poche et assurez-vous de porter des costumes vraiment effrayants. Si nous voulons attraper ce fantôme, il faut vraiment lui faire très peur.

Cette nuit-là, Bernard s'occupe des derniers préparatifs.

Il fait cuire une énorme chaudronnée de délicieuse soupe aux brisures de chocolat. Il tient à ce que le fantôme soit bien rassasié et assoiffé.

Il fouille dans les boîtes qui n'ont pas encore été déballées jusqu'à ce qu'il mette la main sur son vieux costume de Dracula et son maquillage.

Il trouve un vieux drap dont sa mère s'est servie pour protéger le plancher de la peinture. Il perce un trou aux quatre coins et y enfile une corde. Quand il tire sur la corde, le drap se referme comme un sac. C'est un peu difficile à manœuvrer, mais c'est ce qu'il peut faire de mieux comme filet à fantôme.

Ensuite, il s'attaque au compte rendu de lecture pour Bingo et il s'applique à faire un excellent travail, de telle sorte que Bingo en fera autant quand viendra son tour.

Il téléphone à Bingo et lui fait promettre de ne pas demander à Rita et à Robert de lécher du sable.

— Et si je leur demandais de manger des graines pour nourrir les oiseaux? demande Bingo.

— Pas question non plus, réplique Bernard d'un ton ferme.

Il vérifie les piles de sa lampe de poche Tintin. Il se donne même la peine de s'en servir pour chercher Ficelle dans des placards obscurs et pleins de toiles d'araignées.

Il trouve ensuite le numéro de téléphone du poste de police et le fixe avec du ruban gommé sur le téléphone de la cuisine.

Finalement, uniquement pour s'amuser, il aide son père à découper huit citrouilles qui serviront de lanternes et qui seront disposées deux par deux sur chacune des marches de l'escalier de la façade.

Pour la première fois dans la vie de Bernard,

la grande maison brune de la rue des Noyers va être habitée pour l'Halloween.

Habitée par quelqu'un d'autre que le fantôme, bien sûr.

Les citrouilles-lanternes vont signaler aux visiteurs qu'ils sont les bienvenus pour venir faire la quête.

— Penses-tu que nous devrions accrocher notre squelette de plastique sur la porte? demande son père, tandis que Bernard et lui admirent leur œuvre, debout devant la maison.

— Il ne vaudrait mieux pas, répond Bernard. Cette maison est déjà assez inquiétante comme ça.

Chapitre 9

Bave de crapaud, queues de salamandres et poils de verrue

À sept heures le samedi soir, trois monstres se présentent chez Bernard avec leurs sacs de couchage.

Les trois créatures ont l'air nerveuses, même Bingo.

— Nous n'avons peut-être pas choisi le meilleur moment pour attraper un fantôme, dit Robert alors que la lourde porte de l'entrée se referme derrière eux en grinçant. À l'Halloween, ils ont peut-être des pouvoirs extraordinaires.

— Il a peut-être de la parenté qui vient lui rendre visite.

Derrière son masque aux yeux globuleux et au profil rendu difforme par les boursouflures, la voix de Rita a un ton inquiet.

Bingo, coiffé de cornes et la peau maquillée en vert, jette un coup d'œil aux alentours dans l'espoir de trouver son serpent.

— Hé! Finalement ce n'est pas si mal ici, dit-il sur un ton surpris en se tournant vers les deux autres. Vous auriez dû voir cet endroit il y a une semaine.

La maison brune de la rue des Noyers a meilleure mine. Elle n'a pas rajeuni, mais une fois les toiles d'araignées enlevées et le nouveau papier peint installé, elle commence à avoir une allure confortable.

Sur ces entrefaites, la mère de Bernard arrive avec un plateau de friandises. Elle porte une longue cape noire et un chapeau pointu.

— Bave de crapaud, queues de salamandres et poils de verrue, dit-elle d'une voix nasillarde. Puis-je offrir à mes monstrueux amis quelques friandises de sorcière ?

Les monstres se servent, mais Dracula lève les yeux au ciel.

— Tout le monde sait que les sorcières n'ont pas cet air-là, murmure Bernard en entraînant ses amis pour faire la tournée des maisons du quartier.

Madame Labonté leur réserve le meilleur accueil. Elle porte une robe de bal orange à paillettes et des chaussures lamées. Elle a piqué dans ses cheveux un diadème serti de brillants et elle tient à la main un sceptre surmonté d'un biscuit en forme d'étoile.

— C'est une journée très spéciale pour moi, dit-elle en souriant.

Elle a préparé un festin de sorcière et elle invite les monstres à s'asseoir à une table décorée de trente-et-une chandelles orange.

— Où est votre chat noir? demande Rita qui a relevé son masque pour mieux goûter aux spaghettis à la réglisse.

— Elle n'a pas de chat noir. Elle a un canari blanc, dit Bernard en lançant un sourire à son amie la sorcière.

— Qu'est-ce que c'est que ce truc? demande Bingo en humant le liquide verdâtre dans son verre. Du jus de tripes?

— Ça se pourrait, dit madame Labonté. À moins que ce ne soit un sirop aux pissenlits et aux groseilles à maquereau.

Quand ils repartent, elle remet à chacun un sac contenant la recette de la soupe aux brisures de chocolat et une fiole d'ingrédients secrets.

Bingo reçoit deux sacs. Le second contient quelque chose qui ressemble à un pain de viande.

— C'est du végé-pâté, dit madame Labonté avec un clin d'œil. C'est pour Ficelle.

— Est-ce qu'elle a aussi une boule de cristal? demande Bingo à Bernard tandis qu'ils se dirigent en vitesse vers la maison suivante. Comment peut-elle connaître mon serpent?

Le pire accueil de la soirée est celui de madame Lanoix.

Elle ne répond même pas à la porte. Pourtant elle est à la maison. Par la fenêtre, les trois amis peuvent voir les images du téléviseur.

— C'est elle la vraie sorcière, grogne Bingo.

Bernard se serait bien rangé à cette opinion, mais cela aurait été injuste à l'égard de madame Labonté.

De retour à la maison, tout se déroule à merveille.

Épuisés par leurs travaux de nettoyage et de peinture en prévision de l'arrivée de grand-mère, les parents de Bernard se couchent tôt.

— Allez-vous tous dormir avec vos costumes? demande sa mère, en passant leur dire bonsoir.

Les monstres sont encore des monstres et Bernard est toujours Dracula, sauf qu'il a retiré ses crocs, du moins pour le moment.

— On ne peut pas se changer tant que l'Halloween n'est pas finie, dit Dracula.

— G-r-r-r, grogne Bingo en fendant l'air de ses griffes.

— Très bien, dit la mère de Bernard, d'un ton sceptique. En autant que vous ne vous condui-rez pas comme des monstres, ça va. Pensez quand même à dormir.

— Promis! répondent les créatures de la nuit.

Une fois que Bernard est sûr que ses parents se sont endormis, toute la bande descend à la cuisine sur la pointe des pieds.

Ils trouvent un grand bol et le remplissent de soupe. Au lieu de la cuillère habituelle, ils déposent une louche à côté du bol.

Bien en vue, Bernard laisse une note :

Cher fantôme,
Joyeuse Halloween et bon appétit.
Bernard.

Cette fois-ci, écrire « Cher » ne lui paraît pas bizarre. D'une certaine manière, Bernard commence à s'attacher à son fantôme.

Tel que prévu, Bernard ne laisse aucune boisson.

Ils emportent toutes les bouteilles d'orangeade et de jus d'ananas dans sa chambre et se chargent eux-mêmes de les boire.

— Nous allons avoir affaire à un fantôme drôlement assoiffé, rigole Bingo.

Personne n'a vraiment envie de manger les bonbons qu'ils ont ramassés durant leur tournée de l'Halloween. Ils sont trop nerveux.

Pendant un moment, ils jouent avec les dominos fluorescents de Bernard. Ils les disposent en équilibre et forment une longue file qui part de la chambre de Bernard et descend jusqu'au hall.

Ils s'amusent déjà depuis un moment à les faire tomber et à les remettre en place, quand Bernard met son doigt devant sa bouche.

— Avez-vous entendu? chuchote-t-il.

Ils se regroupent tous sur le lit de Bernard et prêtent l'oreille.

Crac, crac, crac, crac, crac.

— Il n'y a pas de ploc cette fois, dit Bernard.

— Quoi?

— Rien.

Crac, crac, crac.

À ce moment-là, il y a une pause.

Clit-a-clic-clic, clac, clac, clac.

Ils entendent les dominos tomber dans le hall!

Les uns après les autres, les dominos se mettent à tomber dans la chambre de Bernard également, comme poussés par une main invisible.

— Nom d'un petit bonhomme! s'exclame Bingo.

Les autres ne disent rien.

Maintenant qu'il faudrait passer à l'action, Bernard n'a plus du tout envie de descendre à la cuisine pour attraper le fantôme. Même avec Coco-le-singe, Bingo, Rita et Robert à ses côtés.

Pourtant, il le faut.

Chapitre 10

Ça y est, on l'a!

Bernard remet ses crocs dans sa bouche. S'il doit faire face à un fantôme, il veut avoir l'air le plus effrayant possible. Il fourre également Coco-le-singe sous sa cape.

Juste au cas où...

— En ce moment, j'aimerais bien avoir Ficelle avec moi, dit Bingo.

Sa voix tremble. Malgré son visage maquillé en vert, il a perdu son air de brute

Bingo Broussard a plutôt l'air de Froussard Broussard, se dit Bernard.

Et comme il connaît bien l'effet que produit

la peur, il sait exactement quoi dire.

— Quoi qu'il arrive, nous restons ensemble. D'accord, tout le monde?

— D'accord! crient Rita, Robert et Bingo d'une même voix.

Ils se regroupent tous derrière la porte.

En ce moment, le fantôme doit tout juste finir de manger sa soupe, se dit Bernard.

— Les lampes de poche sont prêtes? demande-t-il.

— Prêtes! répond le chœur des monstres.

— Vos masques sont en position?

— Parés!

— Le filet à fantôme est prêt?

Il y a une pause durant laquelle on entend quelques froissements.

— Ce n'est pas toi qui l'as? demande Bingo.

— Oh oui, c'est vrai! murmure Bernard.

Il fouille sous son lit et en sort le filet qu'il a fabriqué avec le vieux drap. Il l'apporte devant le groupe.

— En avant, marche! ordonne Bernard.

Les créatures de la nuit descendent l'escalier

sur la pointe des pieds.

À mi-chemin, Bingo touche l'épaule de Bernard.

— Je regrette de t'avoir appelé Bernard le froussard. Ce n'est pas vrai.

— Ce n'est pas grave, dit Bernard en souriant. Je le suis parfois.

En ce moment-même, il a la frousse plus que jamais. *En bas, dans la cuisine, le fantôme nous attend*, se dit Bernard. *Un grand et gros fantôme qui brille dans le noir. À moins que ce ne soit un fantôme long et mince qui passe à travers les murs. Un fantôme qui sait écrire. Un fantôme qui mange.*

Un fantôme qui pourrait bien les manger, *eux*!

Bernard a envie de remonter l'escalier en courant, pour aller se réfugier dans le lit de ses parents avec Coco-le-singe.

Cependant, ses amis ont les yeux fixés sur lui. Ils comptent sur son aide.

Même Bingo.

Qu'est-ce que vous dites de ça!

En s'aidant de leurs lampes de poche, ils

arrivent jusqu'à la cuisine. Ils accrochent ensuite leurs lampes de poche à leurs ceintures. La lumière de la cuisine est allumée.

Ils peuvent même entendre le fantôme.

Ils entendent le grincement de la porte du réfrigérateur qui s'ouvre et le claquement quand elle se referme.

Ils entendent les portes d'armoires qui s'ouvrent et qui se referment, en claquant les unes après les autres.

Ka-tlak! Ka-tlak! Ka-tlak!

— Il cherche le jus d'ananas! chuchote Bernard. Le plan fonctionne vraiment.

— On ferait bien de l'attraper avant qu'il ne devienne trop furieux, dit Bingo.

Chacun des quatre chasseurs de fantôme prend un coin du filet.

Bernard jette un coup d'œil à son équipe.

— Rappelez-vous, dit-il d'un ton solennel. Si les choses tournent mal, *allez chercher mon père!*

Ensuite, il donne le signal et tous s'élancent.

Tout se passe à la vitesse de l'éclair. Quand le filet retombe sur le fantôme, Bernard a à peine

le temps d'entrevoir une forme blanche, age-
nouillée, en train de fouiller dans une armoire.

— Ça y est, on l'a! s'écrie Bingo.

Le fantôme se débat et veut se relever.

— Tirez sur la corde! ordonne Bernard.

Tout le monde tire en même temps et le fantôme tombe lourdement sur le sol.

— Bravo! s'exclament Rita et Robert.

— Hourra! s'écrient Bingo et Bernard.

Tout ce que le fantôme trouve à dire, c'est
« Ouille-ouille-ouille! ».

Chapitre 11

Histoire de fantômes

Le fanôme ordonne :

— Détachez-moi!

Ce n'est pas un commentaire très approprié pour un fantôme, se dit Bernard. Il se serait attendu à ce que le fantôme fasse plutôt des « *Hou-ou-ou* » ou encore qu'il dise quelque chose du genre « *É-é-é-é-loi-â-â-â-gnez-vou-ou-ou-ou-s!* »

Mais ce fantôme-là a une voix qui ressemble à celle d'un vieux grand-père.

— Détachez-moi! ordonne à nouveau le fantôme, d'un ton fort mécontent. J'ai mal au coude.

— Vous voulez rire, dit Bernard. Après tous les efforts que nous venons de faire!

Bernard se décide tout de même à le détacher.

Quand la corde est relâchée, les monstres reculent de quelques pas et Bernard soulève le drap.

Ils découvrent alors, assis à même le plancher, en train de se frictionner le coude, un homme aux cheveux gris, en robe de chambre blanche.

Bernard en reste bouche bée.

— Qui êtes-vous? demande-t-il.

— Le fantôme, lui répond l'homme en esquissant un petit sourire.

— Assez plaisanté! lui dit Bernard. Vous n'êtes pas un vrai fantôme.

— Peut-être pas, répond le fantôme d'un air triste. Mais j'aurais bien aimé en être un.

Bernard aide le fantôme à s'asseoir sur une chaise.

—Si vous me donnez un peu de jus, je vais

tout vous raconter. J'ai atrocement soif!

Tout le monde s'esclaffe, sauf Bingo.

— Où est mon serpent? Où est Ficelle?

Le fantôme regarde Bingo de côté.

— Ah, oui! Je te replace, toi. Le briseur de carreaux. Puisqu'on en est à se demander où sont passées les choses, pourrais-tu me dire ce qu'est devenue la vieille bicyclette que j'avais l'habitude de ranger près de la porte arrière?

Bingo ne répond pas. Il s'installe sur la chaise la plus éloignée du fantôme. Ses oreilles sont plus rouges que d'habitude.

Robert trouve un verre et offre de l'eau au fantôme qui la boit d'un seul trait.

— Ta soupe aux brisures de chocolat est délicieuse, dit-il en s'adressant à Bernard, mais ça m'empêche de dormir.

— Oui, je vous ai entendu marcher de long en large, répond Bernard en se rappelant les craquements qu'il avait entendus, nuit après nuit, au-dessus de sa tête.

Le fantôme commence alors à raconter son histoire.

— Autrefois, c'était ma maison ici... enfin, pas vraiment ma maison, mais celle de mon grand-père, puis, plus tard, celle de mon père. Naturellement, je pensais bien qu'un jour, ce serait également la mienne. Quand j'étais gamin, il y a de cela soixante-dix ans, c'était une magnifique maison, la plus belle en ville.

Les yeux tristes, le fantôme jette un regard circulaire dans la cuisine.

— Malheureusement, lors de la grande dépression, mon père a perdu toute sa fortune. Quant à moi, je ne suis pas devenu le riche dentiste ni le prospecteur d'or qu'il voulait que je devienne. Je suis devenu écrivain.

Le fantôme prend une autre gorgée d'eau.

— Les écrivains peuvent devenir riches, dit Bernard.

— Ah oui? Eh bien, pas moi, répond le fantôme en haussant les sourcils. J'écris des histoires de fantômes. Des histoires de fantômes qui donnent la chair de poule et qui font dresser les cheveux sur la tête. Mais personne n'en veut. Je n'ai pas vendu une seule histoire depuis vingt ans!

si tu observes attentivement le plafond du corridor, près de ta chambre, tu vas trouver, dissimulée dans les boiseries, une trappe avec un escalier rétractable. Il y a également un bouton secret qui permet de la refermer. Je savais que tu ne me trouverais jamais! dit le fantôme avec un petit rire. Je déployais l'escalier et je le refermais derrière moi avant de me rendre à la cuisine!

— Je vous ai entendu, dit Bernard, en se rappelant les craquements. Vous aviez l'habitude de sauter par-dessus la marche manquante.

— Exact, dit le fantôme. J'ai toujours aimé faire ça. Sauf qu'une nuit, j'ai dû faire un atterrissage en catastrophe.

À nouveau, le fantôme a l'air triste.

— Je présume que, maintenant que je me suis fait prendre, je vais être forcé de déménager.

Robert et Rita jettent un long regard à Bernard.

Bernard devine à quoi ils pensent.

Ils veulent qu'il autorise le fantôme à rester.

Et il en a bien envie. Après tout, ce ne sont

pas toutes les maisons qui ont leur fantôme, encore moins un fantôme écrivain.

Mais Bernard sait d'avance ce que ses parents vont dire.

Ils vont lui répondre ce que les parents répondent toujours.

Non.

— Encore un peu d'eau, s'il vous plaît, demande le fantôme.

Bernard place le verre au-dessus de l'évier et tourne le robinet.

Il tourne, tourne, tourne.

D'abord, rien ne se passe, puis, tout à coup, le robinet se met à vibrer.

Les tuyaux se mettent à claquer.

Le mur se met à trembler.

La manette du robinet s'éjecte des mains de Bernard et l'eau se met à gicler partout, sur les monstres, sur le fantôme et sur le plancher.

Le jet d'eau fait tomber les tasses de leurs crochets, les pots des tablettes et fait sauter l'ampoule de sa douille.

— Que se passe-t-il en bas? crie la mère de

Bernard, du haut de l'escalier.

À ce moment-là, la manette du robinet d'eau chaude saute à son tour.

— Tout le monde à l'abri! crie Bernard.

C'est ainsi qu'on peut voir Dracula, trois monstres et un fantôme sortir en courant par la porte avant.

Chapitre 12

Un cri à vous glacer le sang

Dehors, sur la pelouse, il fait froid.

Il fait froid et il fait noir.

Toutes les chandelles des lanternes sont éteintes et il flotte dans l'air une odeur de citrouille brûlée.

— N'est-ce pas merveilleux? s'exclame le fantôme. Je n'ai pas pu mettre le nez dehors depuis que vous avez emménagé.

Là-dessus, il exécute un petit saut en faisant claquer les talons de ses pantoufles l'un contre l'autre.

— Maintenant, nous sommes vraiment dans le pétrin, dit Bernard en frissonnant.

Ses parents vont probablement l'envoyer à l'école de réforme pour avoir inondé le plancher. Il peut entendre toute une série de bruits et de coups en provenance de la maison. Son père et sa mère essayent de réparer les tuyaux.

Quelques jours auparavant, il y avait eu un moment où Bernard aurait peut-être aimé se retrouver à l'école de réforme.

Mais plus maintenant. Plus depuis qu'il a réussi à mettre la main au collet de son fantôme.

— Tu sais une chose, dit Rita. Tu es vraiment quelqu'un de très brave, Bernard, et tu es beaucoup plus intéressant que je ne le pensais.

— C'est vrai, ajoute Robert. Tu es le seul dans le voisinage à être ami avec une sorcière et à loger avec un fantôme qui est presque un vrai fantôme.

— Hé, le fantôme! dit Bingo d'une voix rauque. Est-ce que vous mangez des serpents?

Le fantôme se met à rire.

— Non, mais j'en ai lancé un par la fenêtre, il n'y a pas si longtemps.

— Oh là là ! s'exclame Bingo qui a l'air bouleversé.

Sur ces entrefaites, les parents de Bernard viennent les rejoindre sur la pelouse. Ils sont complètement trempés.

— C'est sans espoir, les enfants, dit le père de Bernard en tordant ses pantoufles. Tous les tuyaux sont crevés et le plombier est en vacances aux Antilles.

— Je sais où est la valve principale, dit le fantôme, en se précipitant à l'intérieur de la maison.

— Qui est-ce? demande le père de Bernard tout en sautillant sur une jambe pour faire sortir l'eau de son oreille.

Bernard ne répond pas. Il attend que le fantôme revienne.

Quelques minutes plus tard, le fantôme ressort de la maison. Il porte les bottes et le manteau du père de Bernard.

— C'est fermé, dit-il.

— Papa, j'aimerais te présenter...

Mais c'est le fantôme qui complète la phrase.

— Je suis le fantôme de Bernard, dit-il en serrant la main de son père. Mon nom est Dalle, Ronald Dalle.

Le père de Bernard s'assoit sur les marches et appuie sa tête sur ses bras.

— Il est vraiment très tard pour discuter de tout ça, marmonne-t-il. J'ai quatre enfants sur les bras, une maison inondée et nous sommes en train de mourir de froid.

— Dalle... Dalle... Où est-ce que j'ai bien pu entendre ce nom-là? murmure la mère de Bernard en marchant de long en large dans ses pantoufles mouillées qui claquent sur le plancher.

Tout à coup, elle pivote sur un talon et pointe le doigt vers le fantôme.

— Vous êtes Ronald Dalle, l'écrivain! s'exclame-t-elle. Je lisais vos histoires quand j'étais gamine. Vous écrivez de formidables histoires de fantômes!

Dalle, le fantôme, fait une courbette pour saluer.

— Pour vous servir, dit-il, l'air ravi.

Bernard raconte l'histoire du fantôme à ses parents.

— C'est donc vous qui tapiez sur ma machine! Dire que je croyais que Bernard était somnambule!

— Je suis désolé que nous ayons acheté votre maison, dit le père de Bernard. Mais vous devez bien comprendre que nous ne pouvons pas la rendre. Où irions-nous?

— Charles, tu ne penses pas que...?

La mère de Bernard entraîne son mari un peu plus loin, près d'un arbre, et ils se mettent à discuter à voix basse tous les deux.

Quand ils reviennent vers le groupe, ils ont le sourire aux lèvres.

— Qu'est-ce que vous diriez d'habiter avec nous? demande le père de Bernard. Nous avons besoin de quelqu'un pour surveiller la plomberie, tenir compagnie à grand-mère quand elle sera là et remplir d'autres petites tâches du même genre.

— Et je pourrai certainement utiliser quelques-unes de vos histoires de fantômes dans mon magazine. Je suis l'éditrice du magazine *Point-Virgule*. J'ai souvent pensé à vous contacter, mais je pensais que vous étiez...

— Mort? complète Ronald Dalle en riant. Comme vous le voyez, je ne suis pas mort... juste un peu fantomatique.

Sur ces entrefaites, de la maison de madame Lanoix s'élève un cri à glacer le sang.

Tout le monde se précipite dans cette direction.

La porte s'ouvre brusquement et madame Lanoix jaillit de la maison.

— Il y a un serpent là-dedans! crie-t-elle. Un affreux serpent visqueux, mangeur de femmes! Il a attrapé ma canne!

— Ficelle! s'écrient en même temps Bernard et Bingo.

Ils entrent en trombe dans la maison de madame Lanoix. Ils traversent le vestibule, montent les escaliers, regardent dans la bibliothèque et dans les chambres.

Aucun signe de Ficelle.

— Il est encore parti! gémit Bingo.

— Attends! dit Bernard. Où est ta nourriture à serpent?

Bingo met la main dans sa poche et sort le petit paquet que lui a donné madame Labonté. Bernard trouve la canne de madame Lanoix et étale un peu de végé-pâté sur le bout.

— Viens, Ficelle, viens, appelle-t-il, en passant la canne dans les recoins les plus noirs et sous les meubles.

Il a peine à croire que lui, Bernard le froussard, est en train d'appeler un serpent!

Quelques minutes plus tard, le serpent sort de sous une commode en suivant la canne à la trace.

Bingo fourre Ficelle dans une taie d'oreiller et serre bien fort le petit paquet dans ses bras. Il n'a plus du tout l'air d'une brute.

— Merci, dit-il à Bernard. Tu n'es pas si nul, finalement. Et je pense aussi que tu peux cesser de faire mes devoirs à ma place. De toute manière, les notes ne sont pas extraordinaires.

Madame Lanoix est tellement reconnaissante

qu'elle les invite tous à prendre le thé et à manger des biscuits au caramel dans sa grande salle à dîner, peu importe s'ils sont tout trempés.

Finalement, c'est quelqu'un de très bien, même si elle ne fête pas l'Halloween.

Quand elle apprend la catastrophe provoquée par la plomberie, elle regarde la mère de Bernard.

— Je vous avais prévenue, Charlotte, que cette vieille maison allait vous créer des ennuis. Mais je suis heureuse que vous ne m'ayez pas écoutée, dit-elle en hochant la tête avec un sourire.

Quand les trois monstres et Dracula sont bien secs et ont repris leur véritable identité, ils se mettent au lit. Bernard entend alors un bruit familier.

Crac, crac, crac, tap-tap-tap-tapatap-patap.

Le fantôme est dans la maison et il écrit une nouvelle histoire de fantômes.

— Eh bien... dit Bernard dans un bâillement.

Il a le ventre plein de biscuits au caramel, il est au chaud et il se sent bien.

Tandis qu'il est couché et qu'il s'endort tout doucement, il se murmure à lui-même :

— J'ai encore peur de bien des choses. J'ai peur des araignées, des bruits bizarres, des sous-sols et de l'obscurité. Pour ce qui est des serpents, je ne suis pas encore bien certain. Mais il y a trois choses dont je n'ai plus peur : les sorcières, les brutes et les fantômes.

Qui peut en dire autant?

Selon la rumeur, Maureen Bayless est née à Winnipeg et a passé son enfance à Montréal et à Vancouver. Mais ceci n'a pas été prouvé. En effet, le jour de la photo, à l'école, elle était toujours à la bibliothèque, plongée dans des livres. Elle consacre encore beaucoup de temps aux livres, mais on peut essayer de discuter avec elle en l'attirant avec du chocolat. Elle a quatre fils, qui l'ont initiée aux nombres imaginaires, aux gluons et aux ballons d'eau. La famille vit avec deux chats qui ont toujours sommeil et plusieurs centaines de poissons tropicaux.